LAGAFFE MÉRITE DES BAFFES

I.S.B.N. 2-8001-0658-1

DUPUIS

MARCINELLE-CHARLEROI / PARIS / MONTREAL / BRUXELLES / SITTARD

...OUIOUI ! J'AI COMPRIS COMMENT ÇA MARCHE ! C'EST GENTIL DE ME LE PRÊTER...

PFFÔHH, C'EST UN VIEUX MACHIN...

...CET APRÈS-MIDI, J'EMMÈNE JEANNE À LA PÊCHE... S'IL FAIT BEAU, JE FERAI QUELQUES PHOTOS...

..GRÂCE AU RETARDEMENT, NOUS ALLONS POUVOIR FAIRE UNE PHOTO DE NOUS DEUX ENSEMBLE, 'M'OISELLE JEANNE...

AAH ! VOUS AVEZ DE BONNES IDÉÉÉÉES, MONSIEUR GASTON !

"...VENEZ VITE À CÔTE DE MOI !

LE TEMPS DE CADRER L'IMAGE, VOIAAALÀ... N'AYEZ PAS PEUR DE VOUS PIQUER : JE NE METS JAMAIS D'HAMEÇON...

ATTENTION ! JE DÉCLENCHE LE PETIT MÉCANISME...

...ET J'AI DIX SECONDES POUR VOUS REJOINDRE. UNE... DEUX...

DJIIIIIII

AH ! ZUT ! EST-CE QUE J'AI RÉGLÉ LA DISTANCE ??

DJIIIIIII

OUI, ÇA IRA !... EN PLACE...

DJIIIIIII

AÏE ! ET LE TEMPS DE POSE ??

DJIIIIIII

SUPERZUT ! PLUS LE TEMPS...

DJIIIIIII

?! M'ENFIN ?

DJIIIIIII

DJI ! KLIK

ÇA VALAIT UN AGRANDISSEMENT, NON ?!... VENEZ VOIR, LES GARS, LE MAGNIFIQUE SPÉCIMEN QUE JEANNE A ATTRAPÉ À LA PÊCHE !

806

Franquin

...OUI, 'MOISELLE JEANNE, JE SUIS REVENU AU CHARBON, POUR MON GAZOGÈNE... QUEL EST LE PROBLÈME, ÉCONOMISER L'ÉNERGIE ?... C'EST MA SPÉCIALITÉ !

AAAH, MONSIEUR GASTON ! SI TOUT LE MONDE FAISAIT COMME VOUS, ON VERRAIT BIENTÔT LA VIE EN ROSE !

TEUHEUH

AH ! IL FAUT QUE JE PASSE CHEZ LE CHARBONNIER ! IMAGINEZ QUE NOUS TOMBIONS EN PANNE EN PLEIN BOIS !

AAÂÂÂAHH !

VOULEZ ME FAIRE LE PLEIN D'ANTHRACITE ?...

HUUH???

BUREAUX

BOIS & CHARBONS

MERCI, MERCI !

PARMONZ EPARVAUX

MAIS VOUS N'AVEZ PAS TOUT VU, IL Y A ENCORE DES SURPRISES ...

...PRENEZ UNE FERRARI OU UNE ROLLS-ROYCE, 'MOISELLE JEANNE, ET ESSAYEZ D'Y CUIRE DES BROCHETTES ET DES POMMES SOUS LA CENDRE, QUOI ?...

807

DÉSOLÉ D'INTERROMPRE UN SI IMPORTANT TRAVAIL, MAIS... C'EST QUOI, **L'OBJET** DANS VOTRE BUREAU ???

OUI ! À QUOI SERT CE TRUC MOCHE ?!?

AAAHLÀLÀ ! VOUS, ON NE DIRAIT PAS QUE VOUS VIVEZ À L'ÉPOQUE DU **DESIGN** !

MESSIEURS, VOICI UN FAUTEUIL MODERNE DESSINÉ ET RÉALISÉ DANS LES ATELIERS LAGAFFE !

NON ?!

UN FAUTEUIL, ÇA ?!

OUI ! ET TOUS LES SNOBS VONT SE PRÉCIPITER POUR L'ACHETER ! ...D'AILLEURS, IL EST CONFORTABLE, MON FAUTEUIL: JE SUIS SPÉCIALISTE, MOI !

...Z'AUEZ VOIR, COMME C'EST SOUPLE ! HOUPLÀÀ...

ZOUU !

?

EN EFFET, ZOU !

GAW

HÉ ! PRUNELLE, TU LE RECONNAIS ? C'EST... C'EST LE...

GAW

LE MARSUPILAMI !

...FIN ?!

DIS: HOUBA, HOUBA

M'EN...

GAW GAW

OOOH ! ILS S'EN VA DÉJÀ...

...LA P'TITE BÊTE QUI DESCEND, QUI DESCEND...

GAW GAW

.BON ! J'AI PAYÉ POUR ROULER ...

...MAINTENANT, FAUT QUE JE PAYE POUR M'ARRÊTER !

TIENS, AFFREUX MANGE-FRIC !

CLIK CRWIK

MWOUAIS ... IL A MIS DES SOUS DANS L'APPAREIL ...

...HMMH ... LE MINIMUM ... IL A DROIT À UN QUART D'HEURE ...J'Y SERAI !...

POM POPOM ...

'REVIENDRA PAS À TEMPS ! JE LE CONNAIS... ENCORE SIX MINUTES ...

SLOGL LE PLUS PUR

HÉHÉÉÉ !...DANS DEUX MINUTES VINGT-CINQ, LE PETIT DISQUE ROUGE VA REVENIR, CLIC... ET CRAC !

...DEUX MINUTES ...

...UNE MINUTE DIX ...SUSPENSE ! UNE MINUTE ... ARF ! ARF ! ...TRENTE SECONDES ...VINGT-CINQ ...,...AH !...S'IL APPARAÎT MAINTENANT À UN COIN DE LA RUE ,IL PEUT ENCORE ÊTRE ICI PILE ...

...À CONDITION DE BATTRE LE RECORD DU MONDE DU 200 MÈTRES... HO!OHHOO !

SOYONS PRÉCIS ET RÉGULIER... ATTENTION 5 SECONDES... 4...

3... 2... 1...

!

HIHIHIÂAAR

SNIRF SNIRRFF WOINN !

CLIC CRWIK

B14

YVAN et Franquin

11

HHMMH...
ILS EN PLACENT PARTOUT, DE CES SALES MACHINS !

BLABLABLA BLA... BLA BLABLA

GRRRMUMMBLLL...

ET PATATIBLABLA ET PATATA ET PATABLA BLI

CRWIK

TIENS ! C'EST NOUVEAU ICI, CE BIDULE ... J'ESPÈRE QUE J'AI DE LA PETITE MONNAIE...

ARFARF ARF...

YAK YAK YAK

HOULÀLÀAA ! NOUS BAVARDONS DEPUIS PLUS D'UNE HEURE ! ILS DOIVENT ÊTRE TOUT PERDUS SANS MOI, AU BUREAU...

POUR EN REVENIR À TON APPAREIL, FÉLICITATIONS ! ON S'Y TROMPERAIT...

BIN, JE TE DIS, MON P'TIT NEVEU VOULAIT UNE TIRELIRE ... J'AI CHERCHÉ UNE IDÉE ORIGINALE ET PUIS J'AI PENSÉ À FAIRE UNE COPIE D'UN PARCMÈTRE...

JE SUIS CONTENT : TOUT LE MONDE AIME BIEN MA TIRELIRE...

CLINK TICLINK

'VOUS AVAIS À L'ŒIL ET J'AI TOUT VU. ON SE SUBSTITUE AUX POUVOIRS PUBLICS POUR EXTORQUER À SA PLACE DES SOUS AUX CITOYENS SANS DÉFENSE !....

M'ENFIN ?? ??

ÇA S'APPELLE UN RACKET !

B15

Franquin

AU DÉBARRAS, LES BIDULES! ET JE VAIS VOUS DONNER DU VRAI TRAVAIL, MOI!

AH? INVENTER, CE N'EST PAS TRAVAILLER?!? PFFOUH...

...AVEC DES IDÉES PAREILLES, ON EN SERAIT ENCORE À FAIRE LE TRAVAIL DE BUREAU AU SILEX TAILLÉ... COMME LES HOMMES DE **CRO-MAGNON!!**

URGENT 1-12-1969

EN RETARD 12-3-1970

QUOI? DOUZE ILLUSTRATIONS, ET C'EST URGENT?!! MAIS TOUT EST TOUJOURS URGENT, ICI!!

CRO-MAGNON... OUI... DES CRO..ZZ
ZZZZ

QUOI?! DESSINER UN TROUPEAU DE MAMMOUTHS POUR DEMAIN?! ÇA NE VA PAS, NON?!

C'EST URGENT!

RRROGNNTUDJUU!!
CHASSEUR LAGAFFE! DEPUIS SIX LUNES, VOUS AVEZ RAMENÉ AU CLAN TROIS GRENOUILLES ET LE MICROBE DE LA GRIPPE!

...VOUS NE REVIENDREZ À LA GROTTE DUPUIS QU'APRÈS AVOIR PRIS UNE **GROSSE BÊTE**

M'ENFIN!

QUAND JE PENSE QUE LUI, CHEF PRUNELLE, IL CHASSE ENCORE LE RHINOCÉROS LAINEUX À L'AIGUILLE À TRICOTER!! QUEL FOSSILE...

YOU-HOUUU

MAIS MOI, 'M'OISELLE JEANNE, J'AI INVENTÉ UN APPAREIL POUR CAPTURER LES RHINOCÉROS...

VOUS N'ÊTES PAS VIEUX JEU, VOUS, CHASSEUR GASTON

SNAP!
GAWW
M'ENFIN!?

CONTRATS

EST-CE MA FAUTE SI GRAND CHEF DE MESMAEKER A MIS LE PIED BÊTEMENT SUR LE PIÈGE À RHINOCÉROS?!?

Franquin 662

OÂH, DIS!

AÏE! UNE LUBIE

100 MONTAGES ÉLECTRONIQUES! DANS UNE BOÎTE !!

...JE VAIS POUVOIR CONSTRUIRE: ... ATTENDS! ... UN ORGUE ÉLECTRONIQUE, UN DÉTECTEUR DE MENSONGE, PLUSIEURS RÉCEPTEURS RADIO, DES ÉMETTEURS DE PARASITES, DES TAS DE TRUCS SONORES, DES MACHINS QUI SE DÉCLENCHENT À LA LUMIÈRE, À LA VOIX, À... À...

AH! HÉBIN, SI VOUS NE POUVEZ PAS EN FAIRE UN·RATTRAPEUR·AUTOMATIQUE· DE·COURRIER·EN·RETARD, ÉVACUATION DU BIDULE!

BON! MAIS SI, GRÂCE AU MONTAGE N°24, JE VOUS INSTALLE UNE ALARME·ANTI·CAMBRIOLEURS, ON DIRA MERCI À GASTON! QUOI? QUOI?!

...JE LE FAIS! PERSONNE NE POURRA PLUS, LA NUIT, ENTRER ICI SANS DÉCLENCHER UNE SIRÈNE ET DES FLASHES TERRIBLES !!

...CHAQUE PORTE, CHAQUE FENÊTRE AURA SON SYSTÈME... J'ESPÈRE QUE J'AURAI ASSEZ DE FIL...

COÏNCIDENCE!! MAL INSPIRÉ, FREDDY·LES·DOIGTS·DE·FÉE CHOISIT PRÉCISÉMENT CETTE NUIT·LÀ POUR REMETTRE ÇA !!!

HIGNTIDJII

D'VINDJU...

...PARAÎT QU'IL A LUTTÉ TOUTE LA NUIT POUR SE DÉSEMBERLIFICOTER !...

PRUDENT, AVEC CETTE PINCE §§

DEPUIS VOTRE DERNIÈRE VISITE, NOUS AVONS PUBLIÉ BEAUCOUP DE NOUVEAUX ALBUMS ...VOUS NE RETOURNEREZ PAS LES MAINS VIDES ...

MEUNON, ON NE DIT RIEN À LA POLICE !!!

SISISI, LAGAFFE! J'ADMIRE LES MERVEILLES DE L'ÉLECTRONIQUE QUAND ELLES ONT CETTE EFFICACITÉ ...

816

Franquin

TU T'EN VAS ? ATTENDS ! JE TE CONDUIS ...

NON!

MAIS HÉHOO! TU VAS ROULER DANS LA TOUTE PREMIÈRE VOITURE À SÉCURITÉ TOTALE !

NON!

...IL Y A DES ANNÉES QUE LES AMÉRICAINS SE CASSENT LA TÊTE SUR LE PROBLÈME ET C'EST GASTON LAGAFFE QUI TROUVE LA SOLUTION ...

...TU SAIS, CE GROS BALLON QUI SE GONFLE INSTANTANÉMENT À L'AVANT, EN CAS DE CHOC ? ILS N'ARRIVENT PAS À LE METTRE AU POINT...HÉBIN MOI, J'AI RÉUSSI, MOI !

...VRAIMENT, TU CONTINUES À PIED ? TU NE T'INTÉRESSES PAS AUX PROBLÈMES DE SÉCURITÉ ?

LA SÉCURITÉ, LAGAFFE, ÇA N'EST PAS DES GADGETS IDIOTS...

... ÇA CONSISTE D'ABORD À NE PAS ROULER AVEC DES PNEUS USÉS JUSQU'À LA TOILE ...

TOMP

PFFFA

?!

M'ENFFFFFF

'BIN !HEUREUSEMENT QUE VOUS AVEZ CREVÉ LE BALLON !...MAIS C'EST QUOI, CE BIDULE ?!?

UN NOUVEAU SYSTÈME : EN CAS D'ACCIDENT, ON N'EST PAS BLESSÉ...ON MEURT ÉTOUFFÉ... C'EST PLUS PROPRE, QUOI...

OH ! REGARDE COMME IL PEUT GONFLER SON CHTT

821

TOUT ÇA SE RESSEMBLE ! ALORS, FORCÉMENT, ON SE TROMPE...

...LES GARS QUI DESSINENT TOUS CES MACHINS N'ONT PAS POUR UN SOU D'IMAGINATION.!...

QUELS MACHINS?

...BIN, LES APPAREILS ÉLECTROMÉNAGERS ET AUTRES... EN VOICI DEUX : VOUS AVEZ TROIS SECONDES POUR ME DIRE LEQUEL EST LE FER À REPASSER ET LEQUEL LA SCIE SAUTEUSE...

....IL Y A PLUS DANGEUREUX : CE SÈCHE-CHEVEUX ET CE FER À SOUDER ÉLECTRIQUE, DES JUMEAUX !... ET ICI : VAUDRAIT MIEUX NE PAS PRENDRE LA PONCEUSE À MOTEUR POUR LE VIBROMASSEUR... QUOI?!

...HIER, CHEZ TANTE HORTENSE, JE VEUX ÉCOUTER MON PROGRAMME POP...

...ET JE REÇOIS UNE TRANCHE DE PAIN GRILLÉ !

GAU

...UN PEU PLUS TARD, JE ME RENDS COMPTE QUE JE VIENS DE BATTRE DES BLANCS D'ŒUFS EN NEIGE AVEC LA BROSSE ÉLECTRIQUE À CIRER LES CHAUSSURES...

...MÊME LES PROFESSIONNELS S'Y PERDENT : UN COUSIN À MOI FAIT RÉPARER SON RASOIR ÉLECTRIQUE...

QUOI?!? C'EST CHER.! BIN, ON A TOUT REMPLACÉ...

TRONIC

...IL VEUT L'EMPLOYER, IL LE RÈGLE À BARBE DURE ET IL ENTEND MIREILLE MATHIEU.!..IL RECEVAIT EUROPE 1...

...TOUT ÇA SE RESSEMBLE...

OUI, MAIS LA MEILLEURE, IL N'OSE PAS LA RACONTER : FIGURE-TOI QUE L'ÉTÉ DERNIER...

...IL A FILMÉ TOUTES SES VACANCES AVEC UNE PERCEUSE !!!

'EMBÊTANT, CE VISEUR EN PANNE...

WOUAA

687

Franquin

...AH! TU L'AS DIT! IL A FALLU DE LA MINUTIE, POUR LA METTRE AU POINT! ET DU TEMPS!...TIENS: SI JE TE DISAIS LES HEURES DE BUREAU QUE J'AI PASSÉES, CHEZ DUPUIS, RIEN QUE POUR DESSINER LES PLANS!...

...MAIS LA PAUVRE TANTE HORTENSE ÉTAIT SI TRISTE CHAQUE FOIS QU'IL FALLAIT TONDRE SA PELOUSE!... J'AVAIS JURÉ DE TROUVER QUELQUE CHOSE...

...ET VOICI ENFIN LA PREMIÈRE TONDEUSE QUI PERMET DE TAILLER SON GAZON SANS COUPER LES PÂQUERETTES...

VROUIT POUIT

POUTT POUTT

...NOTE QU'IL FAUT ÊTRE PATIENT...

POUTT POUTT POUITT

829

TU ES CONTENT DE TON NOUVEAU BOULOT?

BÔÔH, PFFOUH!

MIMI BILL LE SOMNAMBULE

BINDISDONC! T'EN AS ENLEVÉ, DE LA SUIE!!!

OUI, TU VOIS, UN DES PROBLÈMES, DANS CE MÉTIER, C'EST DE NE PAS SALIR CHEZ LE CLIENT. ......

OHZUT! UN BOUQUET DE FLEURS DES CHAMPS... 'SUIS AL...ALLERGIQUE...SNIF... AU POLLEN... RHUME DES FOINS...AAAA...

?

ÂÂÂÂT

LAGAFFE, C'ÉTAIT GENTIL DE VENIR ME DONNER UN COUP DE MAIN... MAINTENANT...DIS-MOI SI J'ABUSE..., MAIS PEUX-TU ME CONDUIRE AU BUREAU DES OFFRES D'EMPLOI?...

835

21

C'EST VRAI, ON A OUBLIÉ DE VOUS RACONTER CELLE-CI... C'ÉTAIT CET HIVER...

OAH ! LE PREMIER CHAUFFAGE-CENTRAL POUR MOTO !...

...C'EST LA SAPETOKU 750 DE DEGOTTE... REFROIDISSEMENT PAR EAU...

...L'ASTUCE : JE LUI AI INVENTÉ UNE COMBINAISON À CIRCULATION D'EAU, ELLE AUSSI ...QUE JE BRANCHE SUR LE RADIATEUR ...ZOU !

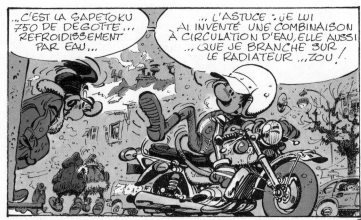

SNIRRF

JE SENS DÉJÀ QUE ÇA VA CHAUFFER !...

TRIIIIIT

SNIRF

TRIIIIII
TRRIII
TRIIII
OUIIIIIII
TRIIII
FTRRIIII
FFFPPPRRTIII
FTRRRR
TRIIII
TRRIIII

Z'ÊTES SOURD OU QUOI ? CONTRÔLE DU BRUIT !

ALLEZ-Y ! EMBALLEZ VOTRE MOULIN... ENCORE...

ENCORE

DITES, ÇA VA DURER LONGTEMPS ?...

ACCÉLÉREZ, J'VOUS DIS !

VROUM VROUM

PAS TRÈS CHAUD POUR COLLABORER, HMM ?...

IL NE SE REND PAS COMPTE ! QUAND JE NE ROULE PAS, LE SYSTÈME NE REFROIDIT PAS ...

DONNEZ LES GAZ !

...ET SI VOUS DÉPASSEZ LA LIMITE PERMISE... ALLEZ-Y À FOND !

VROMM

PCHHIIII

OOWAAAAAH !

CENT TRENTE DÉCIBELS !! Z'ÊTES CUIT, MON GAILLARD !

PCHHIIII

HOUUULÀLÀ ! HOUUULÀLÀ !

ET DÉLIT DE FUITE, AVEC ÇA !...

826

Franquin DEGOTTE

...SI JE COMPRENDS BIEN, VOUS ROULEZ AVEC L'ESSENCE DES AUTRES...

BOAH!! FAUT S'ENTRAIDER, QUOI...

EN EFFET, SI LE VÉHICULE RÉVOLUTIONNAIRE DE LAGAFFE A DES PÉDALES, ELLES NE SERVENT QU'À REJOINDRE...

...LE PLUS PROCHE FEU ROUGE OÙ DES VOITURES ATTENDENT. LÀ, EN MANIANT AVEC ADRESSE UNE SORTE DE GRAPPIN...

..VOUS VOUS ACCROCHEZ À L'UNE D'ELLES QUI PREND LA DIRECTION QUI VOUS CONVIENT...

VRAOOOMMM

...EN CHANGEANT DE MOTEUR AVEC ASTUCE, ON ATTEINT FACILEMENT N'IMPORTE QUEL POINT DE LA VILLE...

NOTRE INVENTEUR PRÉTEND AVOIR TROUVÉ LÀ LE VÉHICULE IDÉALEMENT ÉCONOMIQUE ET NON POLLUANT, PUISQU'IL NE CONSOMME PAS D'ESSENCE...

VROM VRROUP

HÉLAS! APRÈS UN QUART D'HEURE D'ESSAI, GASTON, LUI, EN AVAIT TANT CONSOMMÉ...

BEUAÂH, PFFFOUH...

HIPS

VROUP...

...QU'IL A FALLU D'URGENCE LUI TROUVER UN AUTRE MOYEN DE TRANSPORT...

TEUHEUTEUHEUH RRRRAAH

OXYGÈNE, VITE!

Franquin

ET PRUNELLE ? ES-TU CERTAIN QU'IL VA AIMER TOUS TES JOLIS TUYAUX ?...

IL N'EST PAS IDIOT ! MON SYSTÈME PEUT NOYER DANS L'ŒUF TOUT EMBRYON D'INCENDIE, EN RÉAGISSANT INSTANTANÉMENT À UNE CHALEUR EXCESSIVE !

LAGAFFE ! URGENCE ! CE PETIT PAQUET, D'UNE EXTRRRÊME IMPORTANCE, À REMETTRE EN MAINS PROPRES !... LE TAXI ATTEND ...

ET VROUM ! LE VOILÀ PARTI À 20 KM EN BANLIEUE POUR PORTER UNE BOÎTE DE SARDINES À UN Mr MARTIN IMAGINAIRE QUI HABITE UNE RUE QUI N'EXISTE PAS !... ON N'EST PAS PRÈS DE LE REVOIR ...

ZUT ! JE N'AI MÊME PAS PU LUI MONTRER MA NOUVELLE INSTALLATION ...J'ESPÈRE QU'IL LA REMARQUERA ...

...ÇA FERA UNE VACHE DE NOTE DE TAXI...MAIS J'AURAI LE TEMPS DE SIGNER QUOI ?...HHM ? LES CONTRATS !

LES CONTRATS DÉFINITIFS ...

...LU ET APPROUVÉ ... ET PUIS LA SI...GNA...TU...RE ...

SCRRITCH SCRITCH

...ET, POUR CÉLÉBRER ENSEMBLE L'ÉVÉNEMENT, JE VAIS M'OFFRIR UNE DE CES GÂTERIES QUE JE FAIS VENIR DE CUBA ... SAVIEZ-VOUS, CHER AMI, ...

...QUE DE TOUS LES HOMMES D'AFFAIRES DU PAYS ...PUF, PUF... C'EST MOI QUI FUME PUF...LES HAVANES LES PLUS LONGS ?

NOS CONTRATS !

QUEL BONHEUR !

RRCHHIIII

OH ! NCØØN ! PLUS CE SUPPLICE DE LA DOUCHE ÉCOSSAISE !

PSUIIII

828

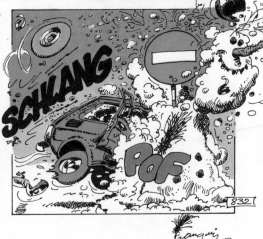

833

UN ESCARGOT !! HÉ, BIEN, J'AIMERAIS SAVOIR COMMENT CE PIÉTON-LÀ EST ARRIVÉ JUSQU'ICI !?...

BLÊEHR

BLÊEHR

QUI SE RESSEMBLE S'ASSEMBLE...

LAGAFFE !

...CES ESCARGOTS, PARTOUT, HEIN ?...

BOF ! ÇA ARRIVE, DANS UN JOURNAL, QU'ON TROUVE QUELQUES COQUILLES... HIHIHI !

SI CHACUN ICI AMÈNE, COMME VOUS, SA FAMILLE AU COMPLET À LA RÉDACTION, ÇA VA NOUS FAIRE DU MONDE...

ALLONS, ALLONS ! SI TROIS OU QUATRE DE MES ESCARGOTS SONT ENTRÉS DANS TON BUREAU, CE N'EST QU'UNE BAVURE... OÂH ! ELLE EST BONNE !

ROGNTUDJUU !

C'EST BIEN TOI, ÇA : SUFFIT QU'UN PETIT-GRIS SOIT À MOI POUR QU'IL DEVIENNE TA BÊTE NOIRE !

PFFFP ! JE TIENS LA GRANDE FORME, MOI !

ET ÇA ?! J'AVAIS DIT QUE JE NE VOULAIS PLUS VOIR VOS RROGNNTUDJU DE CACTUS !!

BOF ! C'EST RIEN QU'UNE PETITE EXPÉRIENCE...

RAPPELLE-TOI, J'AVAIS OBTENU DE BEAUX RÉSULTATS AVEC DES GREFFES... JE SUIS DOUÉ POUR LES GREFFES...

834

À PROPOS...

...D'ACCORD, COMME NUMÉRO, C'EST DU JAMAIS VU... MAIS C'EST LONG, C'EST LONG, C'EST BEAUCOUP TROP LONG...

843

HÉ! PRUNELLE! VIENS VOIR CE QUE JE PEUX FAIRE, MOI, AVEC UNE POUBELLE À PÉDALE...

ET UN TROGNON...

...JE SUIS ADROIT DE NATURE : IL M'A SUFFI DE DEUX SEMAINES D'ENTRAÎNEMENT... TU VAS VOIR...

ATTENTION... PETIT COUP SEC : HOP!

SCHTOÏNG

...ET ZOU!

NON... JE VOIS QU'UN TROGNON QUI FAIT UN TRIPLE SAUT PÉRILLEUX, TOI, ÇA NE TE PASSIONNE PAS...

BONBON, N'EN PARLONS PLUS...

CLAP

NOUS NOUS SURMENONS POUR LE SPÉCIAL 40 ANS, ET VOUS CONTINUEZ VOS CLOWNERIES — ET JE METS LE **L** POUR RESTER POLI —

BAH! DEMAIN, LAGAFFE EST EN CONGÉ... CAR J'ATTENDS UNE CERTAINE VISITE... ET QU'EST-CE QUE JE VAIS OFFRIR AU JOURNAL, POUR SON ANNIVERSAIRE, HM? **LES CONTRATS SIGNÉS!**

ON TROUVE DE TOUT SUR CE BUREAU... MÊME UNE TOMATE BEAUCOUP TROP MÛRE... BEURK!

DEUX SEMAINES D'ENTRAÎNEMENT POUR FAIRE UNE STUPIDITÉ, L'ANDOUILLE!

PLOUTCH

...IL NE ME FAUT PAS DEUX SEMAINES, À MOI... ET TAC!

STOÏNG

MOUAIS... UNE VARIANTE DE LA TARTE À LA CRÈME...

FLACH

JE... JE NE VOUS ATTENDAIS QUE DEMAIN...

ET VOUS VOUS EXERCIEZ...

VOICI UN MOUCHOIR TOUT PROPRE POUR VOUS ESSUYER...

MERCI! POUR ÇA, J'AI LES CONTRATS!

FRRRITCH FRRRITCH

HÉ! PRUNELLE! TU NE FERAS PAS AFFAIRE AVEC LUI AUJOURD'HUI : IL N'A PAS AIMÉ TON ÉCHANTILLON...

WAAH!

838

ON DESSINE DES ORDURES, DES DÉTRITUS, DANS LE BEAU NUMÉRO-ANNIVERSAIRE!!

ON VEUT FAIRE "PUNK", COMME ILS DISENT?!

Franquin

...MAIS NE VOUS OBSTINEZ PAS À CHERCHER UNE PLACE... DÉPOSEZ-MOI ICI... JE SUIS PRESSÉÉÉ!

AH? AH! LÀ, J'EN VOIS UNE... ENTRE LE TRUC VERT ET LES TRAVAUX... REGARDE BIEN :...

PAF PET

...TU VAS VOIR OÙ ON PEUT NICHER UNE VOITURE QUAND ON EST ADROIT COMME MOI...

LAGAFFE, NON! N'ESSAYEZ PAS ÇA! ILS ONT OUVERT LA CHAUSSÉE...ILS ONT FAIT UN GRAND...

TROUOU!

HÉBIN?!?

OUAIS! 'FAUDRA UNE GRUE POUR VOUS TIRER DE LÀ... MAIS... POUR NE PAS AJOUTER DE PETITS FRAIS AUX GROS, LA PROCHAINE FOIS, PENSEZ À METTRE DES PIÈCES DANS LE PARCMÈTRE...

M'ENFIN!!!

B37

KRAA KRAA

VROM

LAGAFFE ! SI LA RÉDACTION FAIT DES HEURES SUPPLÉMENTAIRES CE SOIR, C'EST POUR FIGNOLER LE NUMÉRO SPÉCIAL, PAS POUR DISTRAIRE LE CHAT... AU BOULOT !

BÔÔH, TOI !

? ? ? ?

"AU BOULOT" QU'I'DIT !! HIHIHI...

ÇA Y EST ! TOUS LES PLOMBS ONT SAUTÉ !! ÇA, C'EST ENCORE UN COUP DE GASTON...

NON, JE L'AVAIS SOUS LES YEUX : IL FAISAIT SAUTER LE CHAT...

C'EST UNE PANNE DANS TOUT LE SECTEUR, LES ENFANTS...

M'ENFIN ! C'EST PAS EN JOUANT AVEC LE CHAT QUE J'AURAIS PU FAIRE SAUTER LES PLOMBS, QUOI ?!

...ÇA NE VEUT RIEN DIRE : IL EST CAPABLE DE PLONGER DANS L'OBSCURITÉ TOUT UN DÉPARTEMENT !

VIENS LE DIRE ICI, SI TU L'OSES !

...JE PARIE QU'IL AVAIT UN BIDULE EXPÉRIMENTAL BRANCHÉ DANS UN COIN DE BUREAU...

C'EST VRAI, LAGAFFE ?

C'EST FAUX ! JE LE JURE SUR LA TÊTE DE MON CHAT !...

SI JE SAVAIS OÙ EST LA TORCHE ÉLECTRIQUE, ON ESSAYERAIT DE RETROUVER LES BOUGIES...

LA TORCHE ? LAGAFFE A VIDÉ LES PILES EN FAISANT DES SIGNAUX MORSE À JULES-EN-FACE... ET J'AI VU LA MOUETTE BOULOTTER LES BOUGIES...

EN TOUT CAS, LAGAFFE, LUI, IL A PRÉVU LES COUPURES...

...ET GRÂCE À LUI, NOTRE RÉDACTION POSSÈDE SON PROPRE **GROUPE ÉLECTROGÈNE !**

? ? ?

ATTENDEZ... QUE JE TROUVE...

... À TÂTONS... LE PETIT BUREAU DU FOND... ET JE VOUS EN METTRAI PLEIN LA VUE...

AÏE ! L'ANDOUILLE A MIS SON DOIGT DANS MON ŒIL !

ET VOILÀ !... LE PÉDALIER D'UNE TRÈS VIEILLE MACHINE À COUDRE, UNE DYNAMO, ET ÇA SUFFIT, EN CAS DE PANNE, POUR CONTINUER LE TRAVAIL LE PLUS URGENT...

RIEN, ICI, N'EST PLUS URGENT QUE VOTRE COURRIER EN RETARD, LAGAFFE, EN AVANT, PÉDALEZ...

DORÉNAVANT, À CHAQUE COUPURE DE COURANT, IL Y AURA, DANS TOUT LE SECTEUR, **UN SEUL GARS AU TRAVAIL : GASTON !**

J'AI TOUJOURS DIT QUE CE GASTON ÉTAIT UNE LUMIÈRE, HAHAA !

NE LUI DIS PAS ÇA, IL S'ASSOMBRIT...

LÀ, LÀ, J'AI GAFFÉ...

638

Franquin

Un match qui nous a marqués

Voici le compte rendu du match qui a opposé l'équipe de football de la Rédaction de Spirou et le Sporting Olympic Racing Club de la rue du Gazomètre. Gaston Lagaffe remplaçait au pied levé notre gardien de but.

TROISIEME minute. Attaque du Sporting. Lagaffe a trop enfoncé sa casquette — empruntée à Guy Bollen, qui a une très grosse tête — et la balle entre dans le but, alors que Gaston essaie de dégager son nez.

1 - 0

Une pluie fine se met à tomber. A la septième minute, un tir direct entre dans le but vide. Lagaffe est parti chercher un parapluie qu'il avait aperçu dans un coin du vestiaire.

2 - 0

La pluie s'intensifie. A la douzième minute, un avant du Sporting dépasse la défense. Lagaffe, blotti dans le parapluie, n'a rien vu. Au moment où le tir part, il entend les cris de Prunelle, relève le parapluie et reçoit la balle

dedans. L'arbitre, qui se trouve devant ce problème pour la première fois, juge l'arrêt irrégulier et accorde une pénalité.

3 - 0

Coup de pied de but. Lagaffe va chercher la balle pour la dégager fébrile et voulant racheter ses erreurs en gagnant du temps, il se trompe

s'empare du sac en cuir d'un photographe, le dépose sur la ligne blanche, prend un grand élan et, d'un magistral coup de pied, envoie en l'air et en mille morceaux un Rolleiflex, un Nikon F, un téléobjectif de 500 mm et une dizaine de films dans leurs boîtes jaunes.

15e minute : tir de loin, qui fait mouche pendant que Lagaffe discute ferme avec le photographe.

$$4 - 0$$

20e minute : attaque du Sporting. Prunelle, pivot de notre défense, glisse sur plusieurs lentilles, tombe, se fait dépasser par l'avant-centre, qui marque.

$$5 - 0$$

24e minute. Lagaffe, appuyé à un montant de son but, introduit malencontreusement le pied dans une maille

du filet. Prunelle fait une passe à son gardien. Gaston, retenu par le pied, s'étale, alors qu'il se dirige vers la balle.

$$6 - 0$$

35e minute. Un tir des 25 mètres dans le but, alors que Gaston, qui a grimpé par le filet, se tient en équilibre sur la transversale et, tournant le dos au jeu, regarde par-dessus la palissade, pour voir si Mademoiselle Jeanne, qui a promis de venir, n'est pas en vue.

$$7 - 0$$

Remise en jeu et bel effort de Lebrac, qui profite du fou rire inextinguible de toute l'équipe adverse pour aller sauver l'honneur.

$$7 - 1$$

Jeanne est arrivée pendant le repos. Le jeu a repris depuis quatre minutes : un tir, qui semblait inoffensif, va dans les filets alors que Gaston est en train de graver un cœur et des initiales au canif dans le montant droit du but.

$$8 - 1$$

Un vent assez fort s'est levé, mais il ne tempère pas l'ardeur du Sporting, qui attaque en force : sur un tir très dur vers le coin supérieur droit de notre but, admirable réflexe du gardien Gaston, qui bondit vers le coin supérieur gauche et rattrape sa casquette, que le vent emportait.

9 - 1

Lagaffe plonge et bloque dans la boue le feutre gris que le vent vient d'enlever de la tête d'un spectateur.

Un peu plus tard, un long tir aboutit dans la cage, alors que Gaston a un échange de vues très animé avec le propriétaire chauve du feutre gris très endommagé.

10 - 1

A la 65e minute, l'avant-centre du Sporting dépasse la défense et fonce tout seul vers notre but. Courageuse sortie de Lagaffe, qui se précipite à la rencontre de l'adversaire, marche sur le lacet de sa chaussure et s'étale de tout son long. L'attaquant entre dans le but balle au pied, en riant.

11 - 1

Lagaffe réclame un lacet, le sien s'étant cassé. Sur le coup de pied de but, il dégage puissamment vers la droite le ballon et vers la gauche sa chaussure, qui est reprise de la tête par Prunelle, arrive à Jef Van Schrijfboek, qui, d'une volée puissante, passe à Lebrac. Celui-ci, d'un tir fulgurant, en pleine foulée, marque le plus beau but de la partie. Ah ! Si ç'avait été le ballon ! La chose est d'autant plus regrettable que, pendant que nous attaquions avec la godasse, l'adversaire, lui, attaquait avec le ballon et tirait au but. Gaston, pris à contre-pied alors qu'il n'avait qu'une chaussure, n'a rien pu faire. Prunelle est soigné sur la touche : il a été blessé au cuir chevelu par les crampons de la chaussure.

12 - 1

75e minute : Lagaffe, qui a récupéré sa chaussure, a reçu un nouveau lacet. Pendant qu'il le noue soigneusement, un long tir fait mouche. Malgré les protestations de notre gardien de but, cela fait

13 - 1

Le point suivant est inscrit alors que Gaston boude.

14 - 1

Au moment où il s'empare du ballon, Gaston tombe en mettant le pied sur le cassoulet toulousain en boîte qu'il venait de sortir de son sac pour le faire réchauffer sur son réchaud à alcool. Et c'est but.

15 - 1

C'est immédiatement après ce but que se situe le dernier incident du match : Prunelle est expulsé du terrain pour avoir boxé son propre gardien.

"SOYONS CLAIR : JE NE VEUX VOIR PERSONNE NÉGLIGER SON BOULOT POUR SE COLLER DEVANT LE PETIT ÉCRAN... CE RÉCEPTEUR, ICI, SERA...

... UN INSTRUMENT DE TRAVAIL...

PFFOUH ! UN VIEUX BIDULE D'OCCASION...

QU'IL SOIT NEUF OU PAS, NOUS AURONS LES DERNIÈRES PUBS POUR SEMER DANS NOS JEUNES MÉMOIRES LEUR SUBTILE POÉSIE... AGLAA...AGLAA...

ILS N'ONT PAS VOULU ME LAISSER L'INSTALLER ET IL S'ALLUME TOUT DE MÊME... UNE CHANCE !

HÉHO ! PRUNELLE, DIS, LA MOUETTE, TU VEUX BIEN QU'ELLE REGARDE ? HIHIHI ! NON, MAIS C'EST MARRANT : ELLE EST LITTÉRALEMENT FASCINÉE...

HIHIHIÂÂR

OÂÂH, LES GARS ! DOMMAGE QU'ON N'AIT PAS EU ÇA À L'ÉPOQUE DES ÉLECTIONS !!

HIHIÂ... HIHIAAHR

BINTIENS ! VOILÀ LE JOURNAL TÉLÉVISÉ...

... BIN OUI ! AUJOURD'HUI, LA PLUPART DES TRUCS FONCTIONNENT À L'ESSENCE ! SANS COMPTER LES AUTRES... ALLONS, CESSE DE FAIRE LA GUEULE ET VIENS DANS LA VOITURE...

OH LA LA AAA !... LA VIE DEVIENT DIFFICILE À VIVRE...

REGARDE VITE ! TU VOIS PASSER LÀ LE RÉSULTAT DE TROIS MOIS DE PATIENCE ...

...C'EST LE TEMPS QU'IL M'A FALLU POUR APPRENDRE À MES PETITS ANIMAUX À SOUFFLER DES BUBBLE-GUMS ...

AAAH ! MESSIEURS DUPUIS SERONT PEUT-ÊTRE RAVIS D'APPRENDRE QUELS PASSIONNANTS TRAVAUX ILS FINANCENT...

FLAP FLAP FLAP FLAP FLAP FLAP

I'TTENTION, LE MUR ! AAïÉ !

PAF

VOTRE COCHONNERIE DE BUBBLE GUM LUI A PÉTÉ À LA FIGURE ...

L'ENNUI, C'EST QUE ÇA LUI COLLE AUX PLUMES...

BEURK

TU SAIS QUOI ? JE ME DEMANDE SI C'ÉTAIT UNE BONNE IDÉE ...

HÉ ! BIEN, FRANCHEMENT ...

...NON ! CE N'ÉTAIT PAS UNE TRÈS BONNE IDÉE ...

MÂOW ?

MARRÂOW !

ÇA COLLE AUX POILS AUSSI ... BOUGE PAS, HÉ ! ...

LAGAFFE, JE DÉPOSE CECI SUR VOTRE TABLE ...

LA GRANDE LOUPE !? POURQUOI ?

HÉ ! BIEN VOUS POURRIEZ EN AVOIR BESOIN ...

842

QUAND IL ME FAUT, UN BOUQUIN D'ICI, L'ADRÉNALINE ME MET EN ÉBULLITION LA BILE, ET ÇA FAIT TOURNER LA MOUTARDE QUI ME MONTE AU NEZ!

DOCU

HÉ! DOUCEMENT, LA PORTE...

SLAM

M'ENFIN! T'ES FOU QUOI!?

JE SENS QUE VOUS N'AVEZ PAS AIMÉ... ATTENDEZ, JE VAIS RECOMMENCER JUSQU'À CE QUE...

SLAM

NOON!

BRRROODOLOROUM

SOT! MOI QUI ME DÉCARCASSE POUR FIGNOLER UN SYSTÈME DE CLASSEMENT UNIQUE AU MONDE!

GASTON, ÉCARTEZ-VOUS... C'EST EXTRAORDINAIRE... JE VIENS DE VOIR LE GÉNIE EN ACTION!

...SOUS MES YEUX... VOUS VENEZ DE RÉINVENTER, EN QUELQUES SECONDES... LA VOÛTE ROMANE, EN PLEIN CINTRE!

LA QUOI?... EN PLEIN QUOI?...

MAIS SOYONS SÉRIEUX... JE SUIS VENU CHERCHER UN LIVRE, MOI... C'EST CELUI-CI QU'IL ME FAUT...

SISISI! LE GROS, ICI, AU MILIEU... ALLEZ, HOP!

CET OUVRAGE N'EST PAS DISPONIBLE!!

8A4

RGNTDJU!

INVENTAIRE DES DOSSIERS QUE VOUS ÉTUDIEZ EN CE MOMENT: UN PNEU, UN DEMI-BILBOQUET, UNE LAMPE À PÉTROLE, UN GANT DE BOXE GAUCHE...

M'ENFIN! AAÏE AÏAÏE!

...IL Y A MÊME UN BOOMERANG! MAIS SURTOUT, J'APERÇOIS UNE VIEILLE CONNAISSANCE QUI SEMBLE AVOIR ÉTÉ PLACÉE LÀ-HAUT SPÉCIALEMENT POUR M'ESQUINTER LE CRÂNE, HEIN?

BOM WÄÄH

PAF

TU SAIS QUE TU SAUTES TRÈS HAUT, TOI?!...SI TU ÉTAIS UN PEU MOINS MALADROIT, TU POURRAIS FAIRE DU SPORT
...

...ENFIN, ÇA T'APPRENDRA QU'ON NE LAISSE PAS TOMBER UNE BOULE DE BOWLING, ON LA GLISSE...

ALLEZ, TIENS! JE VIENS D'AVOIR L'IDÉE D'UNE EXPÉRIENCE JAMAIS TENTÉE QUI VA TE DISTRAIRE PENDANT QUE TU PRENDS L'AIR À LA FENÊTRE...

RRÄÄH!

DORÉNAVANT, VOUS SAUREZ QU'IL NE FAUT JAMAIS CHARGER UNE ARBALÈTE AVEC UN BOOMERANG
...

845

WÔÔBOF...
CES VIEUX AÉROSOLS,
J'LES LAISSE TOMBER...
TROP D'INCONVÉNIENTS

SURTOUT
LES VÔTRES!

..."CE
POIL À GRATTER
EN "SPRAY", JE NE
L'OUBLIERAI
JAMAIS!

MAIS RAPPELLE-TOI
MON EXPLOIT TECHNIQUE!
METTRE MOI-MÊME EN BOMBE
MA CIRE QUI BRILLE
SANS GLISSER,
FALLAIT LE FAIRE

NON.

...UNE SIMPLE PRESSION,
ET UN BRILLANT ÉBLOUISSANT
VOUS SAUTE AUX YEUX!

HÉ! HOO!
ROGNTUD...
PCHIIIIII!

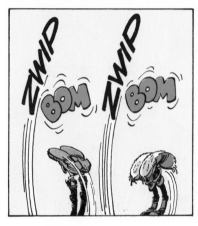

ZWIP
BOM
ZWIP
BOM

ZWIP ZWIP ZWIP ZWIP ZWIP ZWIP ZWIP ZWIP ZWIP ZWIP ZWIP ZWIP ZWIP ZWIP

ELLE S'AMÉLIORAIT,
SA CIRE: ILS SE SONT
RELEVÉS EN MOINS
D'UN QUART
D'HEURE...

MOUAIS...
MAIS CROIS-MOI...
CETTE INVENTION-LÀ
NE LE MÈNERA
PAS LOIN, WÂÂH!

848

Franquin

"CHASSE AUX OBJETS
INUTILES AU TRAVAIL DE BUREAU"
...CRISE NOUVELLE D'UNE VIEILLE
MANIE... VIVEMENT QUE ÇA
LUI PASSE!...

...ÉVIDEMMENT, POUR LUI,
MES APPEAUX, ÇA NE SERT
À RIEN... IL N'ÉPROUVE
JAMAIS LE DÉSIR DE
VOIR UN BEL OISEAU...
QUAND JE PENSE...

...QU'IL SUFFIT
DE SOUFFLER
DANS CES PETITS
BIDULES... PFF...

...POUR FAIRE
APPARAÎTRE UNE
GRIVE, DES CAILLES,
UNE PERDRIX... UN
VANNEAU... UN
COURLIS...

...OUAIS, HOO! DANS
CETTE GRANDE VILLE
PLEINE DE VOITURES,
D'ESSENCE ET DE
POUSSIÈRE, VA DONC
TROUVER UN GEAI
OU UN COL-VERT...

TIENS!
AUTANT SOUFFLER
DANS UNE BOUTEILLE
DE GROS ROUGE!

EEFOUUT

HUUH?

846

Franquin

QU'EST-CE QUE C'EST ?

CONTRÔLE DU TAUX D'ALCOOLÉMIE...! FAUT SOUFFLER DANS

J'AI DES CONTRATS À SIGNER, MOI ! MON TEMPS EST PRÉCIEUX...

...BON ! SOUFFLEZ TOUT DE SUITE... MAIS VOUS AVEZ LE DROIT D'ATTENDRE UN QUART D'HEURE SI VOUS VENEZ DE BOIRE UN VERRE ET QUE VOTRE HALEINE EMPESTE L'ALCOOL...

DITES DONC, MON P'TIT BONHOMME...

...VOUS ENTENDREZ PARLER DE MOI ! VOTRE PERMIS DE CONDUIRE VOUS EST PRÉCIEUX AUSSI ?

OUAIS ! QUAND ON FAIT SEMBLANT, ÇA NE SE GONFLE PAS

INUTILE DE TRICHER !

IL EST DÉFECTUEUX, VOTRE GADGET À LA

VOUS SOUFFLEZ À CÔTÉ !

RRRRRUTURLÛÛTH

LA PREUVE : ÇA NE FAIT JAMAIS CE BRUIT-LÀ...

...TOUS COMPLICES ! Z'AVAIENT PRÉPARÉ LEUR NUMÉRO DE CIRQUE POUR SE PAYER MA TÊTE...

REFUS D'OBTEMPÉRER...

...JE LEUR METTRAI DES BAFFES À CES CLOWNS !

...ET SI VOUS VOULEZ QUE VOT'PETIT BALLON SOIT GONFLÉ, J'M'EN VAIS VOUS DIRE OÙ VOUS POUVEZ VOUS LE

AH ! ATTENTION, HEIN !

IL Y RÉJOINDRA LES CONTRATS

JE NE SUPPORTE PAS LE CRI DE CE PETIT ANIMAL BLEU

...OÀH ! MAHARADJAH EST UNE VIEILLE CONNAISSANCE... AU ZOO, ILS ME L'ONT PRÊTÉ POUR FAIRE UNE FARCE À UN COPAIN QUI A TENDANCE À PICOLER...

TRRRRIIII TRRRRIIII

POF

847

Franquin

DITES !
JE SERAIS LE CHAUFFE-EAU, JE VOUS AURAIS DÉJÀ PÉTÉ À LA FIGURE, EXPRÈS !

...QUEL EST LE **FILS DE PORC** QUI A BRICOLÉ CET APPAREIL COMME UN **COCHON** ?!

HO ! CHHHT !

...CE TRAVAAAIL !!! POUR UN HOMME DE MÉTIER, VOIR UNE CHOSE PAREILLE **BLEÊÂÂRK !**

'SUFFIT DE REPLACER LE CAROT, VOI...LÀ CALMEZ-VOUS...

MONSIEUR L'PLOMBIER, VOUS NE CONNAISSEZ PAS LES PROBLÈMES D'UN BUREAU... SAVEZ-VOUS QUE NOUS SOMMES MENACÉS D'ÉTOUFFER, LITTÉRALEMENT, SOUS LA PAPERASSE ?!

'VOIS PAS LE RAPPORT

...TIENS !'VOULEZ UN EXEMPLE ? VOUS N'IMAGINEZ PAS...WOUF !... LA QUANTITÉ DE COURRIER QUI PEUT ENTRER ICI, EN UNE SEULE JOURNÉE ... HOMMPH ...

...D'ACCORD, J'AI LÉGÈREMENT MODIFIÉ LE BIDULE...MAIS OÙ IRIONS-NOUS SI JE NE ME DÉBARRASSAIS PAS DE TOUT CE COURRIER EN RET...EUH, PÉRIMÉ ?...QUOI ?

?

!

...ON GLISSE DANS LES FENTES... C'EST COMME UNE BOÎTE À LETTRES... MAIS C'EST LE CONTRAIRE...HIHI...

CET APPAREIL FONCTIONNE TRÈS BIEN... 'FAUT PAS Y TOUCHER...

HÉHO ! ET MOTUS...

...ENTRE NOUS, QUI A BESOIN D'EAU CHAUDE DANS UN BUREAU ? PFFOAH !

DEUX JOURS PLUS TARD...

JE NE SAIS PAS SI C'EST LA FRÉQUENTATION DU GAZ, MAIS **CE PLOMBIER EST GONFLÉ !**

QUAND ON ALLUME LE MACHIN QU'IL A **RÉPARÉ** IMPOSSIBLE D'EN TIRER UNE GOUTTE D'EAU, TIÈDE ! MAIS ÇA FUME SI FORT ET ÇA ÉMET DE TELLES QUANTITÉS DE CENDRES NOIRES, QUE DANS TOUT L'ÉTAGE **ON SE CROIRAIT À POMPÉI !** ET VOYEZ LA FACTURE QUE NOUS ENVOIE CET **ARTISTE !**

AH ! JE SUIS AU COURANT

...JE M'EN OCCUPE PERSONNELLEMENT, TU VOIS ?... RELAXE-TOI.

HON HON...

IL FUME TROP, CE PLOMBIER ! IL S'ENCRASSE LA TUYAUTERIE

849

Franquin

45

...PUISQUE NOUS VOICI SUR UNE ÎLE, M'OISELLE JEANNE, ON VA L'EXPLORER ENSEMBLE ...

AAAH ! POURVU QU'ELLE SOIT VRAIMENT DÉSERTE, MONSIEUR GASTON !

...EN TOUT CAS, NOUS NE MOURRONS PAS DE FAIM, VOYEZ CES BEAUX GROS FRUITS ...

QUELLES JOLIES FLEURS...ET CES ADORAAABLES PETITS OISEAUX !

ET NOUS NE MANQUERONS PAS D'EAU DOUCE ...

J'AIME CE PROFOND TAPIS DE MOUSSE ...

HI!!!! APRÈS TOUTE CETTE EAU DE MER, VOUS VERREZ, C'EST DÉLICIEUX DE SE DESSALER ...

LE SOLEIL A DÉJÀ SÉCHÉ VOS VÊTEMENTS, IL EST VRAI QU'ILS SONT SI LÉGERS...

...JE VOUS TAILLERAI UN PEIGNE, M'OISELLE JEANNE : MOI, OAHJE NE ME LASSE PAS, MAIS ÇA DOIT VOUS SEMBLER LONG ...ILS SONT SI FINS, SI ABONDANTS ...

AH ! QU'IMPORTE LE TEMPS, MAINTENANT, NOUS AVONS TOUTE LA VIE DEVANT NOUS ...

VENEZ ! J'ENTENDS UN CHANT...JE RECONNAIS ...

VOUS, VOUS AVEZ L'OREILLE FINE QU'IL FAUT POUR VIVRE DANS LA NATURE ...

HIHIÂAR

ELLE NOUS A RETROUVÉS ! C'EST MERVEILLEUX, L'INSTINCT !

MILHIÂÂAHRRRR

OH ! UNE SURPRISE EXTRAORDINAIRE ! NOUS NE SOMMES PAS LES SEULS RESCAPÉS DU NAUFRAGE *

PFFFOUH !

MARRÂOW

KIT-A-RON RON-KAT

A! HIHIÂARR !

LE CLIMAT EST TRÈS DOUX, MAIS... LE SOIR VA TOMBER...ET PEUT-ÊTRE LES NUITS SONT-ELLES FRATCHES ?...

ELLES DOIVENT ÊTRE BEEELLES...

 * VOIR LE NAUFRAGE À LA PAGE 41 DE L'ALBUM 12

  TOUJOURS LE MÊME VIEUX TRUC POUR VOUS REFILER UN AUTRE ALBUM...

850A

ON M'A DIT DE VOUS DIRE...

Si VOUS RENCONTREZ, EN UN POINT QUELCONQUE DU GLOBE, QUELQUE PERSONNE PÂLE, ÉPUISÉE, HAGARDE, AU BORD DE LA FOLIE, QUI DEMANDE D'UNE PAUVRE VOIX L'ALBUM GASTON NUMÉRO CINQ, SI ELLE EN EST À SA SIX MILLE DEUX CENT CINQUANTE-TROISIÈME LIBRAIRIE, DITES-LUI QU'ELLE EST UNE DES INNOMBRABLES VICTIMES DE **L'ALBUM FANTÔME !**

POUR METTRE FIN À SES TOURMENTS, LISEZ-LUI CE QUI SUIT, VITE ! AU DÉBUT, LES EXPLOITS DE GASTON PARURENT EN ALBUMS DEMI-FORMAT. IL Y EN EUT CINQ. SES GAFFES PRENANT DE L'AMPLEUR, NOUS PUBLIÂMES UN ALBUM GRAND FORMAT QUI REÇUT TOUT NATURELLEMENT LE NUMÉRO SIX. ALORS, ON DÉCIDA DE RÉÉDITER LES CINQ PREMIERS EN GRAND FORMAT. CE FURENT LES ALBUMS **R** — R COMME RÉÉDITION — SUIVEZ-MOI BIEN, C'EST ICI QUE ÇA SE COMPLIQUE... CAR AVEC LES CINQ PETITS, NOUS NE POUVIONS EN FAIRE QUE TROIS GRANDS... ET DES POUSSIÈRES. MAIS, À SPIROU, TOUS ENSEMBLE, NOUS SOMMES MALINS COMME PAS UN : LES MEILLEURS "EN DIRECT DE LA RÉDACTION" COMPLÉTÈRENT UN R4 PLUS ORIGINAL QUE LES AUTRES... ENFIN, ÇA S'EST PASSÉ À PEU PRÈS COMME ÇA, J'AI SIMPLIFIÉ. RÉSUMONS : AUJOURD'HUI, LES ALBUMS GASTON SONT NUMÉROTÉS R1, R2, R3, R4... 6, 7, 8, 9, 10, 11, 12, 13... HÉ ! OUI, VOUS AVEZ BIEN VU, IL Y A, UN TROU : NI R5, NI 5. ALORS, VOILÀ, NE CHERCHEZ PLUS, NE TÉLÉPHONEZ PLUS, NE PLEUREZ PLUS, N'ÉCRIVEZ PLUS ; EN GRAND FORMAT, **IL N'Y A PAS, IL N'Y AURA JAMAIS D'ALBUM GASTON N° 5 !!**

ET SI UN JOUR VOUS EN TROUVIEZ UN, CE SERAIT UN FAUX !...ZUT ! JE VAIS DONNER DES IDÉES À UN FARCEUR...

AUTRE CHOSE... AH ! OUI, CE CAUCHEMAR À LA PAGE TRENTE DEUX... FRANQUIN SE DEMANDE S'IL N'A PAS ÉTÉ INSPIRÉ À L'AGENT LONGTARIN PAR UN DESSIN DE DESCLOSEAUX... BAH ! CELA PROUVERAIT QUE LONGTARIN A DE MEILLEURES LECTURES QU'ON NE POURRAIT CROIRE...

ENFIN, DANS CE GASTON 13 FIGURE UNE PAGE QUI A DÉJÀ PARU DANS UN RECUEIL À TIRAGE LIMITÉ. POUR QU'AUCUN LECTEUR NE SOIT LÉSÉ, NOUS AVONS AJOUTÉ UN GAG (?!) INÉDIT, ENVAHISSANT LA PAGE 47 QUI EST OCCUPÉE EN GÉNÉRAL PAR LA LISTE DES AUTRES BEAUX ALBUMS DE L'ÉDITEUR. POUR VOUS DIRE TOUT CECI, J'AI PRIS LA PLACE DE LA SECONDE PAGE DE CETTE PUBLICITÉ. MAIS JE SUIS SÛR QUE TOUS CES CHARMANTS AUTEURS NE NOUS EN VOUDRONT

PAS

SALUT ! ON M'A DIT DE VOUS DIRE QUE PRUNELLE A EU UN MALAISE... J'EN PROFITE POUR VOUS MONTRER...

...MA DERNIÈRE INVENTION : ENFIN, UN BILBOQUET FACILE ! J'AI CREUSÉ LA BOULE DANS UNE MEULE D'EMMENTHAL OÂÂÂH !